«МАЛЫШ»

В. Осеева

ВОЛШЕБНОЕ СЛОВО

КАКО́Й ДЕНЬ?

Кузне́чик вспры́гнул на бугоро́к, погре́л на припёке зелёную спи́н-ку и, потира́я ла́пки, затреща́л:

— Пр-р-е-е-кра́сный день!

— Отвр-рати́тельный! — ото-зва́лся дождево́й червя́к, глу́бже зарыва́ясь в суху́ю зе́млю.

— Как! — подпры́гнул кузне́-
чик. — На не́бе ни одного́ о́блач-
ка. Со́лнышко так сла́вно припе-
ка́ет. Ка́ждый ска́жет: прекра́сный
день!

— Нет! До́ждик да му́тные тё-
плые лу́жи — э́то прекра́сный
день.

Но кузне́чик не согласи́лся с
ним.

— Спро́сим тре́тьего, — реши́ли
они́.

В э́то вре́мя мураве́й тащи́л на
спине́ сосно́вую иглу́ и останови́л-
ся отдохну́ть.

— Скажи́те, — обрати́лся к не-
му́ кузне́чик, — како́й сего́дня
день: прекра́сный и́ли отврати́-
тельный?

Мураве́й вы́тер ла́пкой пот и заду́мчиво сказа́л:

— На э́тот вопро́с я отве́чу вам по́сле захо́да со́лнца.

Кузне́чик и червя́к удиви́лись:

— Что ж, подождём!

По́сле захо́да со́лнца пришли́ они́ к большо́му мураве́йнику.

— Ну, какой сегодня день, уважаемый муравей?

Муравей показал на глубокие ходы, прорытые в муравейнике, на кучи сосновых иголок, собранных им, и сказал:

— Сегодня чудесный день! Я хорошо поработал и могу спокойно отдохнуть!

БОЛТУ́ШКИ

Три соро́ки сиде́ли на суку́ и болта́ли так, что дуб треща́л и отма́хивался зелёными ве́тками от болту́шек.

Вдруг и́з лесу вы́скочил за́яц.

— Подру́жки-болту́шки, придержи́те язычки́. Не говори́те охо́тнику, где я.

Присе́л за́яц за куст. Замолча́ли соро́ки.

Вот идёт охо́тник. Невтерпёж пе́рвой соро́ке. Заверте́лась она́, захло́пала кры́льями.

— Кра-кра-кра! Удо́бный сучо́к, да боли́т язычо́к!

Посмотре́л охо́тник наве́рх. Не стерпе́ла и втора́я соро́ка — широко́ раскры́ла клюв:

— Кра-кра-кра! Поговори́ть!

Огляну́лся круго́м охо́тник. Не стерпе́ла и тре́тья соро́ка:

— Тр-ром! Тр-ром! За кусто́м!

Вы́стрелил охо́тник в кусты́.

— Прокля́тые болту́шки! — кри́кнул за́яц и помча́лся что бы́ло ду́ху.

Не догна́л его́ охо́тник.

А соро́ки до́лго удивля́лись:

— За что же э́то нас обруга́л за́яц?

ДÓБРАЯ ХОЗЯ́ЮШКА

Жила́-была́ де́вочка. И был у неё петушо́к. Вста́нет у́тром петушо́к, запоёт:

— Ку-ка-ре-ку́! До́брое у́тро, хозя́юшка!

Подбежи́т к де́вочке, поклюёт у неё из рук кро́шки, ся́дет с ней рядом на завалинке. Пёрышки разноцветные словно маслом смазаны, гребешок на солнышке золотом отливает. Хороший был петушок!

Увидала как-то раз девочка у соседки курочку. Понравилась её курочка. Просит она соседку:

— Отдай мне курочку, а я тебе своего петушка отдам!

Услыхал петушок, свесил на сторону гребень, опустил голову, да делать нечего — сама хозяйка отдаёт.

Согласилась соседка — дала курочку, взяла петушка.

Стала девочка с курочкой дружить. Пушистая курочка, тёпленькая, что ни день — свежее яичко несёт.

— Куд-кудáх, моя́ хозя́юшка! Кý-шай на здорóвье яи́чко!

Съест дéвочка яи́чко, возьмёт кýрочку на колéни, пёрышки ей глáдит, води́чкой пóит, пшенóм угощáет. Тóлько раз прихóдит в гóсти сосéдка с ýточкой. Понрá-

вилась де́вочке у́точка. Про́сит она́ сосе́дку:

— Отда́й мне твою́ у́точку — я тебе́ свою́ ку́рочку отда́м!

Услыха́ла ку́рочка, опусти́ла пёрышки, опеча́лилась, да де́лать не́чего — сама́ хозя́йка отдаёт.

Ста́ла де́вочка с у́точкой дружи́ть. Хо́дят вме́сте на ре́чку купа́ться. Де́вочка плывёт — и у́точка ря́дышком.

— Тась-тась-тась, моя́ хозя́юшка! Не плыви́ далеко́ — в ре́чке дно глубоко́!

Вы́йдет де́вочка на бережо́к — и у́точка за ней.

Прихо́дит раз сосе́д. За оше́йник щенка́ ведёт. Увида́ла де́вочка:

— Ах, какóй щенóк хорóшенький! Дай мне щенкá — возьмú мою ýточку!

Услыхáла ýточка, захлóпала крúльями, закричáла, да дéлать нéчего. Взял её сосéд, сýнул под мúшку и унёс.

Поглáдила дéвочка щенкá и говорúт:

— Был у меня петушо́к — я за него́ ку́рочку взяла́; была́ ку́рочка — я её за у́точку отдала́; тепе́рь у́точку на щенка́ променя́ла!

Услы́шал э́то щено́к, поджа́л хвост, спря́тался под ла́вку, а но́чью откры́л ла́пой дверь и убежа́л.

— Не хочу́ с тако́й хозя́йкой дружи́ть! Не уме́ет она́ дру́жбой дорожи́ть.

Просну́лась де́вочка — никого́ у неё нет!

КТО ВСЕХ ГЛУПЕ́Е?

Жи́ли-бы́ли в одно́м до́ме ма́льчик Ва́ня, де́вочка Та́ня, пёс Барбо́с, у́тка Усти́нья и цыплёнок Бо́ська.

Вот одна́жды вы́шли они́ все во двор и усе́лись на скаме́йку: ма́льчик Ва́ня, де́вочка Та́ня, пёс

Барбо́с, у́тка Усти́нья и цыплёнок Бо́ська.

Посмотре́л Ва́ня напра́во, посмотре́л нале́во, задра́л го́лову кве́рху: ску́чно! Взял да и дёрнул за коси́чку Та́ню.

Рассерди́лась Та́ня, хоте́ла дать Ва́не сда́чи, да ви́дит — ма́льчик большо́й и си́льный. Уда́рила она́ ного́й Барбо́са. Завизжа́л Барбо́с, оби́делся, оска́лил зу́бы. Ца́пнул Барбо́с у́тку Усти́нью за хвост. Всполоши́лась у́тка, пригла́дила свои́ пёрышки. Хоте́ла цыплёнка Бо́ську клю́вом уда́рить, да разду́мала.

Вот и спра́шивает её Барбо́с:

— Что же ты, у́тка Усти́нья, Бо́ську не бьёшь? Он слабе́е тебя́.

— Я не така́я глу́пая, как ты, — отвеча́ет Барбо́су у́тка.

— Есть глупе́е меня́, — говори́т пёс и на Та́ню пока́зывает.

Услыха́ла Та́ня.

— И глупе́е меня́ есть, — говори́т она́ и на Ва́ню смо́трит. Огляну́лся Ва́ня, а сза́ди него́ никого́ нет.

ВОЛШЕ́БНАЯ ИГО́ЛОЧКА

Жила́-была́ Ма́шенька-рукоде́ль-
ница, и была́ у неё волше́бная
иго́лочка. Сошьёт Ма́ша пла́тье —
само́ себя́ пла́тье стира́ет и гла́-
дит; разошьёт ска́терть пря́никами
и конфе́тами, посте́лет на стол —
и впрямь сла́дости появля́ются на
столе́!

Люби́ла Ма́ша свою́ иго́лочку, берегла́ её пу́ще гла́за и всё-таки не уберегла́. Пошла́ ка́к-то в лес

по я́годы и потеря́ла! Иска́ла, иска́ла, все ку́стики обошла́, всю тра́вку обша́рила — нет как нет её иго́лочки! Се́ла Ма́шенька под де́рево и запла́кала.

Пожале́л де́вочку Ёжик, вы́лез из но́рки и дал ей свою́ иго́лку:

— Возьми́, Ма́шенька, мо́жет, она́ тебе́ пригоди́тся!

Поблагодари́ла его́ Ма́шенька, взяла́ иго́лочку, а сама́ поду́мала: «Не така́я моя́ была́!»

И сно́ва запла́кала.

Увида́ла её слёзы высо́кая Сосна́ — бро́сила ей свою́ иго́лку:

— Возьми́, Ма́шенька, мо́жет, она́ тебе́ пригоди́тся!

Взяла́ Ма́шенька, поклони́лась Сосне́ ни́зко и пошла́ по́ лесу. Идёт, слёзы утира́ет, а сама́ думает: «Не така́я э́то иго́лочка, моя́ лу́чше была́!»

Вот повстреча́лся ей Шелко-
пря́д, идёт — шелки́ прядёт, весь
шёлковой ни́ткой обмота́лся.

— Возьми́, Ма́шенька, мой шёлковый мото́чек, мо́жет, он тебе́
пригоди́тся!

Поблагодари́ла его́ де́вочка и
спра́шивает:

— Шелкопря́д, Шелкопря́д, ты
давно́ в лесу́ живёшь, давно́ шёлк

прядёшь, золоты́е ни́тки де́лаешь из шёлка, не зна́ешь ли, где моя́ иго́лка?

Заду́мался Шелкопря́д, покача́л голово́й:

— Иго́лка твоя́, Ма́шенька, у Ба́бы Яги́, у Ба́бы Яги́ — Костя-но́й ноги́. В избу́шке на ку́рьих но́жках. То́лько нет туда́ ни пути́, ни доро́жки! Мудрено́ доста́ть её отту́да!

Ста́ла Ма́шенька проси́ть его́ рассказа́ть, где Ба́ба Яга́ — Ко-стяна́я нога́ живёт.

Рассказа́л ей всё Шелкопря́д:

— Идти́ туда́ на́до
    не за со́лнцем, а за ту́чкой,
По крапи́вке да по колю́чкам,
По овра́жкам да по боло́тцу

До са́мого ста́рого коло́дца —
Там и пти́цы гнёзд не вьют,
Одни́ жа́бы да зме́и живу́т,
Да стои́т избу́шка на ку́рьих
                              но́жках,
Сама́ Ба́ба Яга́ сиди́т у око́шка,
Вышива́ет себе́ ковёр-самолёт.
Го́ре тому́, кто туда́ пойдёт,
Не ходи́, Ма́шенька,
                    забу́дь свою́ иго́лку,
Возьми́ лу́чше мой мото́чек
                              шёлку!

Поклони́лась Ма́шенька Шелко-
пря́ду в по́яс, взяла́ шёлку мото́-
чек и пошла́.

Стра́шно Ма́шеньке к Ба́бе Яге́
идти́, да жа́лко ей свою́ иго́лочку.
Вот вы́брала она́ в не́бе тёмную
ту́чку.

27

Повела́ её ту́чка
По крапи́вке да по колю́чкам
До са́мого ста́рого коло́дца,
До зелёного му́тного боло́тца,
Туда́, где жа́бы да зме́и живу́т,
Туда́, где пти́цы свои́ гнёзда
не вьют.

Видит Маша избушку
                       на курьих ножках,
Сама Баба Яга сидит у окошка,
А из трубы торчит совиная
                              голова...

Увидела Машу страшная Сова да как заохает, закричит на весь лес:

— Ох-ох-хо-хо! Кто здесь? Кто здесь?

Испугалась Маша, подкосились у неё ноги от страха. А Сова глазами ворочает, а глаза у неё, как фонари, светятся — один жёлтый, другой зелёный, всё кругом от них жёлто да зелено!

Видит Машенька, некуда деться ей, поклонилась Сове низко и просит:

— Позво́ль, Со́вушка, Ба́бу Ягу́ повида́ть. У меня́ к ней де́ло есть!

Засмея́лась Сова́, зао́хала, а Ба́ба Яга́ ей из око́шка кричи́т:

— Сова́ моя́, Со́вушка, само́ жарко́е нам в пе́чку ле́зет!

И говори́т она́ де́вочке так ла́сково:

— Входи́, Ма́шенька, входи́!

Подошла́ Ма́шенька к избу́ш-
ке и ви́дит: одна́ дверь желе́з-
ным засо́вом задви́нута, на дру-
го́й — тяжёлый замо́к виси́т, на
тре́тьей — лита́я цепь.

Бро́сила ей Сова́ три пёрышка.

— Откро́й, — говори́т, — две́ри да входи́ поскоре́й!

Взяла́ Ма́ша одно́ пёрышко, приложи́ла к засо́ву — откры́лась пе́рвая дверь, приложи́ла второ́е пёрышко к замку́ — откры́лась втора́я дверь, приложи́ла она́ тре́тье пёрышко к лито́й це́пи —

упа́ла цепь на́ пол, откры́лась пе́ред ней тре́тья дверь! Вошла́ Ма́ша в избу́шку и ви́дит: сиди́т Ба́ба Яга́ у око́шка, ни́тки на веретено́ мота́ет, а на полу́ ковёр

лежи́т, на нём кры́лья шёлком вы́-
шиты, и Ма́шина иго́лочка в недо-
ши́тое крыло́ во́ткнута.

Бро́силась Ма́ша к иго́лочке, а
Ба́ба Яга́ как уда́рит помело́м о́б
пол, как закричи́т:

— Не тро́гай мой ковёр-самолёт! Подмети́ избу́, истопи́ пе́чку,
а ве́чером я тебя́ съем!

Máшенька Бáбе Ягé не перéчит. Избý подметáет, сор собирáет.

Улетéла Бáба Ягá, а Мáшенька схватúла игóлочку — и ковёр дошивáть. Шьёт-вышивáет, головы́ не поднимáет, а Совá ей кричúт:

— Девчóнка, девчóнка, почемý из трубы́ дым не поднимáется?

Отвеча́ет ей Ма́шенька:

— Сова́ моя́, Со́вушка, пло́хо печь разгора́ется.

А сама́ дрова́ кладёт, ого́нь разжига́ет.

А Сова́ опя́ть:

— Девчо́нка, девчо́нка, кипи́т ли вода́ в котле́?

А Ма́шенька ей отвеча́ет:

— Не кипи́т вода́ в котле́, стои́т котёл на столе́.

А сама́ ста́вит на ого́нь котёл с водо́й и опя́ть за рабо́ту сади́тся. Шьёт Ма́шенька, шьёт, так и бе́гает иго́лочка по ковру́, а Сова́ опя́ть кричи́т:

— Топи́ пе́чку, я есть хочу́!

Подложи́ла Ма́ша дров, пошёл дым к Сове́. Вода́ в котле́ закипе́ла.

— Девчо́нка, девчо́нка, — кричи́т Сова́, — сади́сь в горшо́к, накро́йся кры́шкой и полеза́й в печь!

А Ма́ша и говори́т:

— Я бы ра́да тебе́, Со́вушка, угоди́ть, да в горшке́ воды́ нет!

А сама́ всё шьёт и шьёт.

Вы́нула у себя́ Сова́ пёрышки и бро́сила ей в око́шко.

— На, откро́й две́ри, сходи́ за водо́й, да смотри́, коль уви́жу, что ты бежа́ть собира́ешься, кли́кну Ба́бу Ягу́, она́ тебя́ жи́во дого́нит!

Ма́шенька говори́т:

— Сова́ моя́, Со́вушка, сойди́ в избу́ да покажи́, как на́до в горшо́к сади́ться, как кры́шкой накры́ться!

Рассерди́лась Сова́ да как пры́гнет в трубу́ и сама́ в котёл угоди́ла! Задви́нула Ма́ша засло́нку, а сама́ се́ла ковёр дошива́ть. Вдруг задрожа́ла земля́, зашуме́ло всё вокру́г, вы́рвалась у Ма́ши из

рук иго́лочка и тихо́нько так Ма́-
шеньке говори́т:

— Бери́ ковёр-самолёт, беда́ на
нас идёт.

Схвати́ла Ма́шенька ковёр-самолёт, откры́ла сови́ными пёрышка-
ми две́ри и побежа́ла. Прибежа́ла
в лес, се́ла под сосно́й ковёр до-
шива́ть. Беле́ет в рука́х прово́рная

иго́лочка, блести́т-перелива́ется шёлковый мото́чек ни́ток, совсе́м немно́жко остаётся доши́ть Ма́ше.

А Ба́ба Яга́ вскочи́ла в избу́шку, потяну́ла но́сом во́здух и кричи́т:

— Сова́ моя́, Со́вушка, где ты гуля́ешь, почему́ меня́ не встреча́ешь?

Вы́тащила она́ из пе́чки котёл. Съе́ла она́ всю похлёбку, до са́мого до́нышка, гляди́т, а на до́нышке сови́ные пёрышки! Гля́нула вокру́г, а ковра́-то нет! Догада́лась она́ тут, в чём де́ло, затрясла́сь от зло́сти.

— Я тебя́! Я тебя́! За Со́вушку-Сову́ в клочки́ разорву́!

Вскочи́ла на помело́ и взвила́сь в во́здух, лети́т, сама́ себя́ ве́ником погоня́ет.

    А Ма́шенька под сосно́й сиди́т,
шьёт — торо́пится, совсе́м немно́-
го ей оста́лось. Спра́шивает она́
Сосну́ высо́кую:

    — Сосна́ моя́ ми́лая, далеко́ ли
ещё Ба́ба Яга́?

Отвеча́ет ей Сосна́:

— Пролете́ла Ба́ба Яга́ зелёные луга́, помело́м взмахну́ла, на лес поверну́ла...

Ещё пуще торопится Машенька, уж последний стежок ей остался, да нечем дошить, кончились у неё нитки шёлковые. Заплакала Машенька, вдруг откуда ни возьмись Шелкопряд:

— Не плачь, Маша, на тебе шёлку, вдень мою нитку в иголку!

Взяла Маша нитку и опять шьёт... Вдруг закачались деревья, поднялась дыбом трава, налетела Баба Яга как вихрь! Да не успела она на землю спуститься, как подставила ей Сосна свои ветки, запуталась она в них и прямо около Маши на землю упала!

А уж Машенька последний стежок дошила и ковёр-самолёт расстелила, только сесть на него остаётся.

А Ба́ба Яга́ уже́ с земли́ под-
нима́ется. Бро́сила в неё Ма́ша
ежи́ную иго́лку, прибежа́л ста́рый
Ёж, ки́нулся к Ба́бе Яге́ в но́-
ги, ко́лет её свои́ми иго́лками, не

даёт с земли встать, а Ма́шень-
ка тем вре́менем на ковёр вско-
чи́ла, взви́лся ковёр-самолёт под
са́мые облака́ и в одну́ секу́н-
ду домча́л Ма́шеньку домо́й! Ста́-
ла жить она́, пожива́ть, шить-вы-
шива́ть лю́дям на по́льзу, себе́
на ра́дость, а иго́лочку свою́ бе-
регла́ пу́ще гла́за! А Ба́бу Ягу́
затолка́ли ежи́ в боло́то, там
она́ и затону́ла на ве́ки ве́чные.

ВОЛШЕ́БНОЕ СЛО́ВО

Ма́ленький старичо́к с дли́нной седо́й бородо́й сиде́л на скаме́йке и зо́нтиком черти́л что-то на песке́.

— Подви́ньтесь, — сказа́л ему́ Па́влик и присе́л на край.

Стари́к подви́нулся и, взгляну́в на кра́сное, серди́тое лицо́ ма́льчика, сказа́л:

— С тобо́й что́-то случи́лось?

— Ну и ла́дно! А вам-то что? — покоси́лся на него́ Па́влик.

— Мне ничего́. А вот ты сейча́с крича́л, пла́кал, ссо́рился с ке́м-то.

— Ещё бы! — серди́то бу́ркнул ма́льчик. — Я ско́ро совсе́м убегу́ и́з дому.

— Убежи́шь?

— Убегу́! Из-за одно́й Ле́нки убегу́. — Па́влик сжал кулаки́. — Я ей сейча́с чуть не подда́л хороше́нько! Ни одно́й кра́ски не даёт! А у само́й ско́лько!

— Не даёт? Ну, из-за э́того убега́ть не сто́ит.

— Не то́лько из-за э́того. Ба́-
бушка за одну́ морко́вку из ку́х-
ни меня́ прогнала́. Пря́мо тря́пкой,
тря́пкой...

Па́влик засопе́л от оби́ды.

— Пустяки́! — сказа́л стари́к. —
Оди́н поруга́ет — друго́й пожале́ет.

— Никто́ меня́ не жале́ет! —
кри́кнул Па́влик. — Брат на ло́дке
е́дет ката́ться, а меня́ не берёт.
Я ему́ говорю́: «Возьми́ лу́чше,
всё равно́ я от тебя́ не отста́ну,
вёсла утащу́, сам в ло́дку зале́зу!»

Па́влик сту́кнул кулако́м по ска-
ме́йке. И вдруг замолча́л.

— Что же не берёт тебя́ брат?

— А почему́ вы всё спра́шивае-
те?

Стари́к разгла́дил дли́нную бо́-
роду:

— Я хочу́ тебе́ помо́чь. Есть тако́е волше́бное сло́во...

Па́влик раскры́л рот.

— Я скажу́ тебе́ э́то сло́во. Но по́мни: говори́ть его́ на́до ти́хим го́лосом, гля́дя пря́мо в глаза́ тому́, с кем говори́шь. По́мни — ти́хим го́лосом, гля́дя пря́мо в глаза́...

— А како́е сло́во?

Стари́к наклони́лся к са́мому у́ху ма́льчика. Мя́гкая борода́ его́ косну́лась Па́вликовой щеки́. Он прошепта́л что́-то и громко́ доба́вил:

— Э́то волше́бное сло́во. Но не забу́дь, как ну́жно говори́ть его́.

— Я попро́бую, — усмехну́лся Па́влик, — я сейча́с же попро́бую.

Он вскочи́л и побежа́л домо́й.

Ле́на сиде́ла за столо́м и рисова́ла. Кра́ски — зелёные, си́ние, кра́сные — лежа́ли пе́ред ней. Уви́дев Па́влика, она́ сейча́с же сгребла́ их в ку́чу и накры́ла руко́й.

«Обману́л стари́к! — с доса́дой поду́мал ма́льчик. — Ра́зве така́я поймёт волше́бное сло́во!»

Па́влик бо́ком подошёл к сестре́ и потяну́л её за рука́в. Сестра́ огляну́лась. Тогда́, гля́дя ей в глаза́, ти́хим го́лосом ма́льчик сказа́л:

— Ле́на, дай мне одну́ кра́ску... пожа́луйста...

Ле́на широко́ раскры́ла глаза́, па́льцы её разжа́лись, и, снима́я ру́ку со стола́, она́ смущённо пробормота́ла:

— Каку́ю тебе́?

— Мне си́нюю, — ро́бко сказа́л Па́влик.

Он взял кра́ску, подержа́л её в рука́х, походи́л с не́ю по ко́мнате и отда́л сестре́. Ему́ не нуж-

на была краска. Он думал теперь только о волшебном слове.

«Пойду к бабушке. Она как раз стряпает. Прогонит или нет?»

Павлик отворил дверь в кухню. Старушка снимала с противня горячие пирожки. Внук подбежал к ней, обеими руками повернул к себе красное морщинистое лицо, заглянул в глаза и прошептал:

— Дай мне кусочек пирожка... пожалуйста.

Бабушка выпрямилась.

Волшебное слово так и засияло в каждой морщинке, в глазах, в улыбке.

— Горяченького... горяченького захотел, голубчик мой! — приговаривала она, выбирая самый лучший, румяный пирожок.

Па́влик подпры́гнул от ра́дости и расцелова́л её в о́бе щеки́.

«Волше́бник! Волше́бник!» — повторя́л он про себя́, вспомина́я старика́.

За обе́дом Па́влик сиде́л прити́хший и прислу́шивался к ка́ждому сло́ву бра́та. Когда́ брат сказа́л, что пое́дет ката́ться на ло́дке, Па́влик положи́л ру́ку на его́ плечо́ и ти́хо попроси́л:

— Возьми́ меня́, пожа́луйста.

За столо́м сра́зу все замолча́ли. Брат подня́л бро́ви и усмехну́лся.

— Возьми́ его́, — вдруг сказа́ла сестра́. — Что тебе́ сто́ит!

— Ну отчего́ же не взять? — улыбну́лась ба́бушка. — Коне́чно, возьми́.

— Пожа́луйста, — повтори́л Па́влик.

Брат гро́мко засмея́лся, потрепа́л ма́льчика по плечу́, взъеро́шил ему́ во́лосы.

— Эх ты, путеше́ственник! Ну ла́дно, собира́йся!

«Помогло́! Опя́ть помогло́!»

Па́влик вы́скочил из-за стола́ и побежа́л на у́лицу. Но в скве́ре уже́ не́ было старика́. Скаме́йка была́ пуста́, и то́лько на песке́ оста́лись наче́рченные зо́нтиком непоня́тные зна́ки.

БА́БУШКА И ВНУ́ЧКА

Ма́ма принесла́ Та́не но́вую кни́гу.

Ма́ма сказа́ла:

— Когда́ Та́ня была́ ма́ленькой, ей чита́ла ба́бушка; тепе́рь Та́ня

ужé большáя, онá самá бýдет чи-
тáть бáбушке э́ту кни́гу.

— Сади́сь, бáбушка! — сказá-
ла Тáня. — Я прочитáю тебé оди́н
расскáзик.

Тáня читáла, бáбушка слýшала,
а мáма хвали́ла обéих:

— Вот каки́е ýмницы вы у ме-
ня́!

СИ́НИЕ ЛИ́СТЬЯ

У Ка́ти бы́ло два зелёных ка-
рандаша́. У Ле́ны ни одного́.

Вот и про́сит Ка́тя Ле́ну:

— Дай мне зелёный каранда́ш!

А Ка́тя и говори́т:

— Спрошу́ у ма́мы.

Прихо́дят на друго́й день о́бе
де́вочки в шко́лу. Спра́шивает Ле́-
на:

— Позво́лила ма́ма?

А Ка́тя вздохну́ла и говори́т:

— Ма́ма-то позво́лила, а бра́та
я не спроси́ла.

— Ну что ж, спроси́ ещё бра́-
та, — говори́т Ле́на.

Прихо́дит Ка́тя на друго́й день.

— Ну что, позво́лил брат? —
спра́шивает Ле́на.

— Брат-то позво́лил, да я бо-
ю́сь, слома́ешь ты каранда́ш.

— Я осторо́жненько, — говори́т
Ле́на.

— Смотри́, — говори́т Ка́тя, —
не чини́, не нажима́й кре́пко и в
рот не бери́. Да не рису́й мно́го.

— Мне, — говори́т Ле́на, —
то́лько листо́чки на дере́вьях на-
рисова́ть на́до да тра́вку зелёную.

— Это мно́го, — говори́т Ка́тя, а сама́ бро́ви хму́рит. И лицо́ недово́льное сде́лала.

Посмотре́ла на неё Ле́на и отошла́. Не взяла́ каранда́ш. Удиви́лась Ка́тя, побежа́ла за ней.

— Ну что ж ты? Бери́!

— Не на́до, — отвеча́ет Ле́на.

На уро́ке учи́тель спра́шивает:

— Отчего́ у тебя́, Ле́ночка, ли́стья на дере́вьях си́ние?

— Карандаша́ зелёного нет.

— А почему́ же ты у свое́й подру́жки не взяла́?

Молчи́т Ле́на. А Ка́тя покрасне́ла и говори́т:

— Я ей дава́ла, а она́ не берёт.

Посмотре́л учи́тель на обе́их:

— На́до так дава́ть, что́бы мо́жно бы́ло взять.

ХОРО́ШЕЕ

Просну́лся Ю́рик у́тром. Посмо-
тре́л в окно́. Со́лнце све́тит. Де-
нёк хоро́ший.

И захоте́лось ма́льчику самому́
что́-нибудь хоро́шее сде́лать.

Вот сиди́т он и ду́мает:

«Что, е́сли б моя́ сестрёнка то-
ну́ла, а я бы её спас!»

А сестрёнка тут как тут:

— Погуля́й со мно́й, Ю́ра!

— Уходи́, не меша́й ду́мать!

Оби́делась сестрёнка, отошла́.

А Ю́ра ду́мает:

«Вот е́сли б на ня́ню во́лки напа́ли, а я бы их застрели́л!»

А ня́ня тут как тут:

— Убери́ посу́ду, Ю́рочка!

— Убира́й сама́ — не́когда мне!

Покача́ла голово́й ня́ня.

А Ю́ра опя́ть ду́мает:

«Вот е́сли б Трезо́рка в коло́дец упа́л, а я бы его́ вы́тащил!»

А Трезо́рка тут как тут. Хвосто́м виля́ет: «Дай мне попи́ть, Ю́ра!»

— Пошёл вон! Не меша́й ду́мать!

Закры́л Трезо́рка пасть, поле́з в кусты́.

А Ю́ра к ма́ме пошёл:

— Что бы мне тако́е хоро́шее сде́лать?

Погла́дила ма́ма Ю́ру по голове́:

— Погуля́й с сестрёнкой, помоги́ ня́не посу́ду убра́ть, дай води́чки Трезо́ру.

СОДЕРЖА́НИЕ

УДК 372.3/.4
ББК 74.102
О-72

Серия «Читаем сами без мамы»
Издание развивающего обучения
дамыту біліміне арналған баспа
Для дошкольного возраста

Валентина Александровна Осеева
ВОЛШЕБНОЕ СЛОВО
Сказки, рассказы
Коллектив художников

Серийное оформление и дизайн обложки *Д. Агапонова*
Редактор *Н. Гусарова*. Художественный редактор *М. Салтыков*
Технический редактор *Е. Кудиярова*. Компьютерная вёрстка *Н. Сидорской*

Общероссийский классификатор продукции ОК-034-2014 (КПЕС 2008),
58.11.1 — книги, брошюры печатные. Книжная продукция — ТР ТС 007/2011
Подписано в печать 30.08.2019. Формат 70×90^1/₁₆
Печать офсетная. Бумага офсетная. Гарнитура Pragmatica
Усл. печ. л. 4,68. Доп. тираж 5000 экз. Заказ №523.
Произведено в Российской Федерации. Дата изготовления: 2019 год
Изготовитель: **ООО «Издательство АСТ»**. 129085, Российская Федерация,
г. Москва, Звёздный бульвар, д. 21, стр. 1, ком. 705, пом. I, 7 этаж
Наш электронный адрес: malysh@ast.ru. Home page: www.ast.ru

Мы в социальных сетях. Присоединяйтесь!
https://vk.com/AST_planetadetstva, https://www.instagram.com/AST_planetadetstva
https://www.facebook.com/ASTplanetadetstva

«Баспа Аста» деген ООО
129085, Мәскеу қ., Звёздный бульвары, 21-үй, 1-құрылыс, 705-бөлме, I жай, 7-қабат
Біздің электрондық мекенжаймыз : www.ast.ru. E-mail: malysh@ast.ru
Интернет-магазин: www.book24.kz. Интернет-дүкен: www.book24.kz
Импортёр в Республику Казахстан и Представитель по приему претензий в Республике Казахстан —
ТОО РДЦ Алматы, г. Алматы.
Қазақстан Республикасына импорттаушы және Қазақстан Республикасында наразылықтарды қабылдау
бойынша өкіл — «РДЦ-Алматы» ЖШС, Алматы қ., Домбровский көш., 3«а», Б литері, офис 1.
Тел.: 8 (727) 251-59-90, 91, факс: 8 (727) 251-59-92 ішкі 107;
E-mail: RDC-Almaty@eksmo.kz , www.book24.kz
Тауар белгісі: «АСТ». Өндірілген жылы: 2019
Өнімнің жарамдылық мерзімі шектелмеген. Сертификация — қарастырылған
Отпечатано ООО «Издательство Вперед»,
295047, Россия, Республика Крым, г. Симферополь, ул. Узловая,12,
тел.: (3652) 48-09-76, +7 912 633-40-40, e-mail: izd-vpered@yandex.ru

Осеева, Валентина Александровна.
О-72   Волшебное слово / В. Осеева; худож. Е. Запесочная, В. Каневский, А. Кукушкин. — Москва : Издательство АСТ, 2019. — 61, [3] с. : ил. — (Читаем сами без мамы).
ISBN 978-5-17-098528-9.

Книга В. Осеевой «Волшебное слово» прекрасно подходит для первого самостоятельного чтения. Ведь в этом сборнике удобного формата умные и добрые сказки и рассказы, большие буквы, слова с ударениями и много цветных иллюстраций. Книжки серии «Читаем сами без мамы» можно взять с собой в дорогу, на прогулку и читать вместе с друзьями!
Для дошкольного возраста.

УДК 373.3/.4
ББК 74.102